Farbiges Österreich

Austria
Autriche

Farbiges Österreich

Austria
Autriche

Österreich   Austria   Autriche

Keine sechshundert Kilometer Länge hat es von West nach Ost, von Nord nach Süd ist es gar nur 275 Kilometer breit, und das lediglich in seinem östlichen Teil, im Westen streckt es nur noch einen langen schmalen Arm, wenig mehr als 50 Kilometer im Durchmesser, dem Schweizer Nachbarn entgegen: das kleine Land der Österreicher. Bis 1918 war es flächenmäßig das zweitgrößte Land Europas, hieß offiziell »Österreichisch-ungarische Monarchie« und durfte in der Weltpolitik ein gewichtiges Wort mitreden. Nach dem verlorenen Weltkrieg 1914/1918 blieb davon »Rest-Österreich« übrig, das deutschsprachige Kernland sozusagen, ein Zwergstaat nur noch, wirtschaftsgeografisch gesehen ein Unding: mehr Alpen als sonstwas und dazu der »Wasserkopf« der Hauptstadt Wien. Daran hat sich über die Wirren des Zweiten Weltkriegs hinweg bis heute nichts geändert. Von den 84.000 Quadratkilometern Fläche

From west to east it is not even six hundred kilometres long, from north to south only 275 kilometres wide–and that only in the east: in the west it holds out a long thin arm, little more than 50 kilometres in width, towards its Swiss neighbours–this little land of the Austrians. Until 1918, it was officially known as the "Austro-Hungarian Monarchy", the second largest country in Europe, with an influential voice in world affairs. After the lost war of 1914–1918 only an Austrian "rump" remained, consisting essentially of the German-speaking nucleus, now no more than a dwarf state, a nonentity, from an economic and geographical point of view: most of its area was mountainous, and then there was its top-heavy capital, Vienna, into the bargain. Apart from the confusion caused by the second world war, nothing has changed to this day; two-thirds of its 84,000 square kilometres consists of moun-

D'une longueur de moins de 600 kilomètres de l'Ouest à l'Est et d'une largeur de 275 kilomètres seulement du Nord au Sud, et ceci uniquement dans sa partie orientale, car à l'Ouest, il se prolonge en direction de son voisin, la Suisse, sous forme d'un long et mince bras d'un diamètre d'un peu plus de 50 kilomètres: voilà le petit pays des Autrichiens. Jusqu'en 1918, l'Autriche était par sa superficie le 2ème pays d'Europe, elle portait officiellement le nom de « Monarchie austro-hongroise » et avait sa voix au châpitre de la grande politique internationale. Après sa défaite dans la guerre de 1914/18 il en restait un reliquat, le pays germanophone proprement dit, un Etat minuscule, une absurdité du point de vue géo-économique: de la montagne partout et une tête hydrocéphale, Vienne, la capitale. Rien n'y a changé jusqu'à nos jours en dépit du désastre de la seconde guerre mondiale. Deux tiers des 34 000 kilomètres

sind zwei Drittel Gebirge, und jeder vierte Österreicher ist ein Wiener.

Die Österreicher hatten damals, nach Auflösung der habsburgischen Monarchie, gleichsam ein wunderschönes altes Haus geerbt, mit zauberhaften Erkern und Winkeln, viel Stuck an Decken und Wänden und voll von prachtvollen alten Möbeln – aber ohne Wasser- und Energieanschluß, vom Badezimmer ganz zu schweigen. Bad haben sie inzwischen, und den Stuck und die Möbel haben sie behalten, sich selbst und ihren Besuchern zur Freude. Österreich, wie es sich heute dem In- und Ausländer darstellt, ist ein Landschafts- und Kunstmuseum ohnegleichen, an dessen Zustandekommen die Natur und die Geschichte in gleicher Weise beteiligt gewesen sind.

An Versuchen, alles das, was dieses Land dem Auge darzubieten hat, fotografisch festzuhalten, hat es nicht gefehlt. Es gibt eine Unzahl von Bildbänden über Österreich. Je-

tains and one in every four Austrians is a Viennese.

On the dissolution of the Hapsburg monarchy, the Austrian people inherited a beautiful old house, as it were, with charming nooks and crannies, stucco-covered walls and ceilings and filled with magnificent old furniture; but amenities such as water and electricity–not to mention bathrooms–were non-existent. In the meantime, baths have been installed, but the stucco and the old furniture have been retained, much to the delight of both the Austrians and their foreign visitors. Present-day Austria ist both for natives and tourists a kind of unique geographical and art museum, which owes its existence as much to nature as to history.

There has been no dearth of attempts to record in photographs all that the country has to offer visually. There are countless picture books about Austria, but however thick these volumes may be, each one can only contain a selec-

carrés sont des montagnes et un sur quatre Autrichiens est Viennois.

Après la disparition de la monarchie habsbourgoise, les Autrichiens étaient héritiers d'une vieille et très belle maison, avec des encorbellements et des réduits, ornée d'ouvrages en stuc aux murs et au plafond et bourrée de vieux meubles précieux – mais sans les installations nécessaires pour l'eau et l'énergie, sans parler des salles de bain. Entretemps, ils ont aménagé leurs salles de bain tout en conservant le stuc et les meubles pour leur propre plaisir et pour celui de leurs hôtes. L'Autriche, telle qu'elle se présente aujourd'hui à ses habitants et à ses visiteurs de l'étranger, ressemble à un musée d'art et de paysage qui trouve son origine à la fois dans la nature et dans son histoire.

De nombreuses tentatives ont été faites pour présenter en photos tout ce que le pays offre à ses visiteurs. Les ouvrages illustrés de photos

der, so dick er auch sein mag, kann bloß eine Auswahl sein, muß der Vollständigkeit entbehren. Und so ist auch dieses Buch eine Auswahl der schönsten Österreich-Ansichten: eine fotografische Wanderung durch die neun Bundesländer, beginnend im Westen am Bodensee, endend am Neusiedlersee, hinter dessen Ostufer bereits die ungarische Tiefebene liegt.

Manche dieser Ansichten sind so bekannt und berühmt, daß sie in keinem Österreich-Buch fehlen dürfen, auch in unserem nicht; andere, weniger bekannte, haben wir ausgesucht, weil sie uns gefallen haben. Über Geschmack und Vorlieben kann man bekanntlich streiten. Doch man darf, was Österreich betrifft, ruhig von der Annahme ausgehen, daß seine Ansichten jedermanns Auge erfreuen. Womit das angesprochen ist, worauf die Österreicher stolz sein dürfen, wofür sie aber nichts können, nämlich die österreichische Landschaft.

Österreich hat Anteil an so

tion of illustrations and none could claim to be comprehensive. The present book, too, is an anthology of the best views of Austria. It is a kind of photograph tour of the nine provinces, beginning in the west at Lake Constance and ending at the Lake Neusiedl, beyond whose eastern shore lies the great Hungarian plain. Some of these pictures are so well-known and famous that it would be wrong to exclude them from any book about Austria, and in this respect ours is no exception. We have included other, less familiar views for the simple reason that we liked them. There is no question that tastes and preferences may differ, but, as far as Austria is concerned, one can safely assume that every aspect pleases. Here, the allusion is to a feature of Austria of which its citizens may be proud, although they can claim no credit for it, namely the Austrian countryside. Austria contains almost every type of scenery; high Alps, medium mountain ranges, hill

sur l'Autriche foisonnent. Chacun, aussi épais qu'il soit, ne présentera qu'une séléction et restera incomplet. Il en est de même du présent livre qui réunit un choix des plus belles vues d'Autriche: une randonnée photographique à travers les neuf provinces qui prend son départ à l'Ouest, au Lac de Constance pour aboutir au Lac de Neusiedl, dont la rive orientale se situe déjà dans la plaine hongroise.

Quelques unes de ces vues sont devenues connues et célèbres à un point qu'aucun livre sur l'Autriche ne saurait les ignorer; d'autres, moins connues ont été choisies par nous parce qu'elles nous ont plues. Des goûts et des couleurs on ne dispute point. Mais en ce qui concerne l'Autriche, on peut partir de l'hypothèse que les photos prises plaisent à tout le monde. Ceci dit, il faut admettre que les Autrichiens ont toute raison d'être fiers de leur paysage, mais il faut aussi avouer qu'ils n'y sont pour rien.

gut wie allen Landschaftsformen. Es hat Hochgebirge, Mittelgebirge, Hügelland, Ebene, genug Seen und einen wirklich großen Strom, die Donau, die das Land in seinem östlichen, breiteren Teil durchfließt. Hochgebirge und Mittelgebirge, das sind die Ostalpen mit ihren Ausläufern; Hügelland, das sind das Alpenvorland zwischen Alpenkette und Donau, Mühl- und Waldviertel nördlich der Donau, die zum Granit- und Gneisgebiet der böhmischen Masse gehören, und das Weinviertel, eine Art hügeliges Karpatenvorland mit waldfreiem Lößboden. Wozu noch der Wald kommt, den es überall gibt. Noch heute, nach vielfältigen Rodungen, bedeckt er mehr als ein Drittel des Landes.

Bedenkt man die kurzen Distanzen, dann hat der Österreicher das alles direkt vor der eigenen Haustür liegen. Daß er das nicht immer zu schätzen weiß, darüber geben die Statistiken über seine Urlaubsgewohnheiten Auf-

country, plains, many lakes and a really great river, the Danube, which flows through the wider part of the country in the east. The high and medium mountain ranges are the Eastern Alps and their outcrops; the hill land (the foothills of the Alps) lies between the Alpine range and the Danube. Then there are the hills of the Mühlviertel–the " mill region "–and the Waldviertel–the " forest region "–north of the Danube, which mark the beginning of the granite and gneiss region of the Bohemian massif. The Weinviertel–the " wine region "–with its treeless loess is a kind of hilly spur of the Carpathians. There are wooded regions. In spite of repeated clearing, even today forests cover more than a third of the land. When one considers the short distances involved, all these things lie right at the doorstep of every Austrian. The fact that he does not always appreciate this is shown by statistics about his holiday habits. He is drawn southward to the

L'Autriche réunit un échantillonnage de tous les paysages qu'existent. Il y a des grandes et des moyennes montagnes, des paysages doucement accidentes, des plaines, des lacs et même un grand fleuve, le Danube, qui traverse le pays dans sa partie orientale. Les grandes et moyennes montagnes, ce sont les Alpes orientales et leurs contreforts; le paysage accidenté, c'est la partie alpine située entre la chaîne des Alpes et le Danube, le Muehlviertel et le Waldviertel, au Nord du Danube qui appartiennent au massif de granite et de gneiss du plateau bohêmien et le Weinviertel, pays constitué de loess qui précède les Carpathes.

A cela s'ajoute la forêt qui existe partout. Même aujourd'hui, après tant de défrichages, la forêt couvre toujours plus d'un tiers du pays. Vu les distances réduites, l'Autrichien trouve pratiquement de tout « à domicile ». Les statistiques concernant ses habitudes de vacanciers

schluß. Ihn zieht's nach Süden ans Meer, denn das hat er im eigenen Lande nicht. Ja, das Kaiserreich früher, das hatte Anteil an der Mittelmeerküste von Venetien bis hinunter nach Dalmatien. Doch das ist vorbei. Immerhin, den Fremdenverkehrsstatistiken der letzten Jahre ist zu entnehmen, daß der Österreicher nun auch häufiger zu Hause bleibt und da auf Entdeckungsreise geht.

Daß diese österreichische Landschaft, vor allem die alpine, sozusagen noch eine zweite Dimension hat, darüber muß hier geredet werden. Diese zweite Dimension ist der alpine Winter. Die verschneite Lüneburger Heide, Sylt im Schnee, das gibt es zwar, aber wohl kaum als begehrte Motive für den Landschaftsfotografen. Am Winter in den Alpen kann der Fotograf nicht achtlos vorübergehen. Auch wir haben es bei der Auswahl der Bilder für dieses Buch nicht können. Winter in den Bergen, das ist der Zauber der Gletscher,

sea shore, which is one thing that is lacking in his own country. Of course, the former empire had its share of the Mediterranean coast, from Venice all the way to Dalmatia, but those days are gone. In the last few years, however, statistics have shown that an increasing number of Austrians are spending their holidays at home and exploring their own country.

There is another aspect of the Austrian landscape, above all in the mountain regions, that deserves mention, namely the Alpine winter. To be sure, it is not unheard of for the Lüneburger Heide or the island of Sylt to be snowbound, but these are hardly subjects sought after by the landscape photographer, who, on the other hand, seems to be incapable of disregarding any aspect of the Alpine winter–indeed, we were faced with the same kind of problem when choosing the pictures for this book. Winter in the mountains–it is as though the magic of the glaciers had

montrent cependant qu'il n'en profite pas comme il le fallait. Il aime aller dans le Sud, au bord de la mer dont il est privé dans son propre pays. Au temps de la monarchie, on disposait, il est vrai, d'une bonne partie de la côte méditeranéenne, entre Venise et la Dalmatie. Mais il n'en reste rien. Les statistiques sont cependant assez rassurantes: il en ressort que de plus en plus, l'Autrichien préfère passer ses vacances chez lui que se lancer dans des voyages aventuriers.

Le paysage autrichien, surtout dans sa partie alpine, a pour ainsi dire, une seconde dimension: l'hiver en montagne. La Lueneburger Heide enneigée, Sylt sous la neige, ça existe, bien sûr, mais il n'y a pas des motifs recherchés par les photographes. Aucun amateur de la photo ne saurait cependant se priver du plaisir de photographier l'hiver dans les Alpes. Nous aussi, nous n'avons pas pu y renoncer en faisant notre choix pour le présent livre.

gleichsam ins Tal heruntergeholt. Wer die Alpen nur unter sommerlichem Himmel kennt, der kennt sie nur halb. Und das ganz abgesehen von dem Phänomen Wintersport, dem wir den zusätzlichen Reiz verdanken, den schneebedeckte Hänge auf den Menschen von heute ausüben.

Und weil wir gerade von zusätzlichem Reiz reden, dann können die Berge und Täler ihn auch noch deswegen haben, weil sich dort, abseits von vielbegangenen Verkehrswegen, altes Brauchtum und alte Dialekte bis in die Gegenwart erhalten haben. Leider zieht heutzutage der Gebirgler die grün ausgenähte Lederhose mit den ledernen Hosenträgern meist nur noch an, um bei für Fremde veranstalteten Trachtenvorführungen anzutreten, also zu musealem Zweck. Denn dieses Österreich ist, wie schon gesagt, ein Museum.

Ein Barockmuseum vor allem. Der Bauboom nach dem letzten Türkensturm 1683 fiel

cascaded down into the valley. Those who have only seen the Alps under summer skies only half know them–quite apart from winter sports, representing an additional attraction which snow-covered slopes hold for people nowadays.

While we are on the subject of additional attractions, the mountains and valleys off the beaten-track can offer some, too; because of their remoteness from heavily-travelled highways, ancient customs and old dialects have been preserved here right up to the present day. Unfortunately, the mountain-dwellers' traditional green-bound leather shorts, with their leather braces, are usually worn nowadays only when a national-dress display is arranged for the benefit of tourists. These costumes, too, have become museum pieces–but as we have said before, Austria is one big museum.

Above all it is a baroque museum. The building boom after the last Turkish invasion

L'hiver en montagne, c'est le mythe des glaciers et des vallées alpines. Celui qui connaît les Alpes uniquement sous le ciel bleu de l'été ne les connaît qu'à moitié. Sans parler des sports d'hiver, un phénomène qui est dû à l'attraction qu'exercent des pentes enneigées à l'homme moderne.

Parlant des attraits de la montagne et des vallées des Alpes, il ne faut pas oublier d'évoquer le folklore et les dialectes qui, à l'abri des grandes axes de communication se sont bien conservés jusqu'à nos jours. Malheureusement, même les montagnards ne mettent leurs culottes de cuir, brodées en vert, avec des bretelles en cuir également, qu'à l'occasion de manifestations folkloriques en l'honneur des touristes. Comme il était déjà dit, ce pays est un musée.

Avant tout un musée du baroque. Après le dernier siège par les Turcs, en 1683, les activités de construction ont pris un essor notable au Nord des Al-

in die Blütezeit des Barocks nördlich der Alpen. Barocke Schlösser, Paläste, Stifte, Kirchen überall, daneben noch so barocke Spektakel wie die Fronleichnamsprozessionen, die besonders in Wien gepflegten musikalischen Hochämter oder Barockinstitutionen wie die Hofreitschule und die Wiener Sängerknaben. Und hier wandeln wir bereits auf den Spuren der Habsburger, die dieses Land länger als sechshundert Jahre regierten. Sie haben das architektonische Antlitz Österreichs geprägt, vor allem das der Hauptstadt Wien. Und ihr Geisterhauch weht bis in die Gegenwart. Der »alte Kaiser« spukt noch immer in den Köpfen der Nachfahren seiner Untertanen; wenn vom »alten Kaiser« die Rede ist, dann ist immer nur Franz Joseph gemeint, der 68 Jahre lang regierte und für die Österreicher das Symbol der Vergangenheit oder der guten alten Zeit ist.

Aber es gibt natürlich auch eine österreichische Gegen-

of 1683 came right at the height of the baroque north of the Alps. Baroque castles, palaces, monasteries and churches are to be found everywhere, as are such typically baroque spectacles as Corpus Christi processions, and sung highmasses which can be heard in Vienna, especially. Then there are baroque institutions such as the Spanish Riding School and the Vienna Boys' Choir. Here we have strayed on to the track of the Hapsburgs, who ruled over the land for more than six hundred years. It was they who set the stamp on Austrian architectural style, particularly in Vienna, the capital. The spirit of the Hapsburgs has prevailed right up of the present day. The "old Emperor" still haunts the minds of his subjects' descendants. The "old Emperor" always refers to Franz Joseph, who ruled for 68 years, and who is, for the Austrians, a symbol of the past and the good old days. There is, of course, a modern

pes, en pleine période baroque. Des châteaux, des palais, des abbayes, des églises et, en plus, le spectacle baroque des cortèges à la Fête de Dieu, des offices réligieuses solennelles qu'on célébrait en particulier à Vienne et les institutions baroques telle que l'Ecole d'Equitation Espagnole et les Petits Chanteurs de Vienne. Nous voilà aux traces des Habsbourgs, qui ont régné plus de 600 ans sur ce pays. Ils ont incontestablement marqué de leur empreinte l'architecture autrichienne, notamment dans la capitale, Vienne. Ils restent d'ailleurs partout présents. Le « vieil empereur » hantise toujours l'imagination des descendants de ses sujets. Si l'on parle du vieil empereur on pense toujours à François-Joseph qui a régné pendant 68 ans et qui reste pour les Autrichiens le symbole du passé et du bon vieux temps.

Mais il y a aussi un présent et les Autrichiens n'ont pas en avoir honte. Classé « cas spécial » en 1955 et liberé de l'oc-

wart, und die Österreicher brauchen sich ihrer nicht zu schämen. 1955 als »Sonderfall« ungeteilt aus der Besetzung durch die Alliierten entlassen, hat das Land einen wirtschaftlichen Aufstieg genommen, der überall Anerkennung findet. Der Nachhall einstiger imperialer Größe mag für die »Rest-Österreicher« mitunter keine geringe Belastung darstellen. Sie müssen sich den teuersten Opernbetrieb der Welt leisten, und sie haben innerhalb von zwölf Jahren in Innsbruck zweimal Olympische Winterspiele ausgerichtet. Aber sie sind eben begabt im Veranstalten von Spektakeln und haben Freude daran, sich und andere zu unterhalten. Weshalb man gern ins Land dieser Phäaken reist, die gut für ihr leibliches Wohl zu sorgen wissen und von denen laut Statistik acht von zehn der Meinung sind, in ihrem Lande könne man noch gemütlich leben.
Und damit sind wir bei den nahrhaften Dingen angelangt, die zu des Ausländers Öster-

side to Austria of which its people have no reason to be ashamed. As a "special case" they were released, undivided, from allied occupation in 1955. This was the beginning of a period of economic progress which has earned recognition everywhere. The shadow of former imperial greatness is, in some ways, a not inconsiderable burden for the "Rump-Austrians". They have to bear the cost of the most expensive opera in the world, and, in the space of twelve, have twice had to provide facilities for the Winter Olympics in Innsbruck. The Austrians, though, have a talent for organising displays, and the enjoy providing entertainment for themselves and others. That is one reason why people like to come to this land of the Phaeaces, who know so well how to provide for creature comforts: according to statistics, eight out of every ten Austrians are of the opinion that theirs is a country in which one can live cheerfully and comfortably.

cupation des alliés sans être partagé, ce pays a connu un essor économique qui lui vaut beaucoup d'estime dans le monde entier. Les souvenirs de l'ancienne « grandeur imperiale » posent parfois des problèmes à l'Autriche ou plutôt à ce qui en est resté. On se paye le luxe de l'opéra le plus cher du monde et on s'est offert deux fois en douze ans l'organisation des Jeux Olympiques d'Hiver à Innsbruck. Mais il faut dire que les Autrichiens ont du talent à organiser des spectacles pour leur propre plaisir et pour celui des autres. Voilà pourquoi on aime venir ici, dans un pays dont les habitants savent si bien veiller à leur bien être par une bonne cuisine et dont huit sur dix pensent qu'on peut y vivre tranquillement. Nous voilà arrivé à la cuisine qui fait partie de l'impression que se fait l'étranger de l'Autriche. L'Autriche est le pays des escaloppes viennoises, des « Salzburger Nokkerln » et de la célèbre tarte à la Sacher, mille fois copiée,

reich-Bild dazugehören. Österreich ist das Land der Wiener Schnitzeln, der Salzburger Nockerln, der berühmten, oft kopierten, jedoch nie erreichten Sachertorte, überhaupt der guten »Mehlspeisen« – in denen nicht unbedingt Mehl enthalten sein muß. Es ist das Land, wo die Tomaten Paradeiser heißen und ein Napfkuchen den viel barockeren Namen Gugelhupf trägt. Hier berühren wir das fast komödienhafte Thema der »Sprachbarriere« zwischen Österreich und Deutschland, auf die ein österreichischer Witzbold einmal boshaft anspielte, als er sagte, das einzig Trennende zwischen Deutschen und Österreichern sei die gemeinsame Sprache.

Doch das sind bereits Töne und Farben, die dieses Österreich-Bilderbuch nicht einzufangen imstande ist.

Now we come to the subject of culinary delights, which feature in every foreigner's conception of Austria. It is the land of the Wiener Schnitzel, Salzburger Nockerln, the famous Sachertorte, often copied but never quite achieved, of delicious "Mehlspeise", which do not necessarily contain flour. It is a country where tomatoes are known as "Paradeiser" (apples of paradise) and a "Napfkuchen" (pound-cake) is known by the much more baroque name "Gugelhupf". Here we have touched on the almost farcical theme of "speech barriers" between Austria and Germany, which an Austrian wit once wickedly alluded to when he said that the only thing which separated the Austrians from the Germans was their common language. But these are subtleties of tone and shade which are outside the province of this book.

mais jamais réussie comme l'originale. Surtout, n'oublions pas les pâtisseries – qui sont appellées « Mehlspeisen » mais ne doivent pas forcement être faites à base de farine. C'est le pays où on parle allemand, mais où beaucoup d'expressions allemandes ne sont ni admises, ni comprises. Cette « barrière linguistique » est un sujet qui frôle la comédie. Un homme d'esprit a dit fort malicieusement que la seule chose qui sépare les Allemands et les Autrichiens, c'est leur langue commune. Mais ce sont des impressions que ce livre d'images sur l'Autriche est incapable de vous présenter.

Franz Schrapfeneder

Vorarlberg

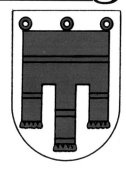

△
Bregenz, Altstadt

Bregenz, the old town

Bregenz, vieille ville

St. Gallenkirch im ▷
Montafon

St. Gallenkirch in the
Montafon Valley

St-Gallenkirch dans le
Montafon

7

◁ Im Montafon

In the Montafon
Valley

Dans le Montafon

△
Schihänge bei Lech am Arlberg

Ski slopes near Lech am Arlberg

Pistes de ski à Lech sur l'Arlberg

1

er Bodensee

ake Constance

e Lac de Constance

△
Abendsonne im Montafon

Evening sun in the Montafon Valley

Coucher du soleil dans le Montafon

△

Im oberen Lechtal. Blick auf das Omeshorn

The Upper Lech Valley. View of the Omeshorn

Dans la partie supérieure du Lechtal. Vue sur l'Omeshorn

Tirol Tyrol

◁ Das Goldene Dachl
in Innsbruck

The Golden Roof,
Innsbruck

Le toit d'or,
Innsbruck

Die Kirche von Goir
mit Kaisergebir

The church at Goir
with a view of tl
Kaisergebir

L'église de Going av
le massif du Kais

Frühling im Inntal

Springtime in the Inn
Valley

Printemps dans la
vallée de l'Inn

Ötzerau im Ötztal ▷

Ötzerau in the Ötz
Valley

Ötzerau dans l'Ötztal

◁ Tiroler Bauernhof
A Tyrolean farm
Ferme tyrolienne

Seefeld mit Wilds⬤
Seefeld with t⬤
Wilds⬤
Seefeld avec
Wilds⬤

3

Mieminger-Kette,
gesehen von Lermoos

View from Lermoos of
the Mieminger-chain

Vue de Lermoos sur la
chaîne du Mieminger

Am Inn bei Zirl ▷

The River Inn
near Zirl

Au bord de l'Inn
près de Zirl

3

itzbühel bei Nacht
itzbühel by night
itzbuehel en nuit

chwarzsee am Kaiser- ▷
gebirge

Schwarzsee in the
Kaisergebirge

chwarzsee et le massif
du Kaiser

△
Patteriol (Ferwallgruppe)

Patteriol (Ferwall group)

Patteriol (Groupe du Ferwall)

3

Salzburg Salzbourg

Salzburg. Blick vom
Kapuzinerberg auf die
Feste Hohensalzburg

Salzburg. View from
the Kapuzinerberg of
the Fortress of Hohen-
salzburg

Salzbourg. Vue du
Kapuzinerberg sur la
forteresse de Hohen-
salzburg

Getreidegasse in ▷
Salzburg

The Getreidegasse,
Salzburg

Getreidegasse à
Salzbourg

Der Schafberg über
dem Wolfgangsee

The Schafberg from
across the Wolfgangsee

Le Schafberg et le
Wolfgangsee

Das Hochkönig- ▷
Massiv

The Hochkönig
Massiv

Le massif du
Hochkoenig

Schloß Anif bei Salzburg

nif Castle, near Salzburg

Château d'Anif près de Salzbourg

△

Wasserspiele in Hellbrunn, nahe Salzburg

"Water tricks" at Hellbrunn, near Salzburg

Jeux d'eau à Hellbrunn, près de Salzbourg

3

Obertauern auf dem
Tauernpaß

Obertauern on the
Tauern Pass

Obertauern au Col de
Tauern

»Malerwinkel« im ▷
Kötschachtal bei
Badgastein

"Artists' Corner" in
the Kötschach Valley
near Badgastein

« Coin des peintres »
dans le Kötschachtal
près de Badgastein

5

◁ Die Bischofsmütze,
Dachsteinmassiv

The Bishop's Mitre,
Dachstein

La Bischofsmuetze,
massif du Dachstein

Loferer Steinberg

4

Tennengebirge

The Tennengebirge

Massif du Tennengebirge

Ober-österreich Upper Austria Haute-Autriche

◁ Wallfahrtskirche
St. Thomas am Blasen
stein

The pilgrimage church
of St. Thomas on the
Blasenstein

Pélerinage de
St-Thomas au Blasen-
stein

Stiftskirche St. Floria
Brucknerorg

The Bruckner organ
the church
St. Flori

Collégiale St-Floria
Orgue de Bruckn

Stiegenaufgang im
Stift St. Florian

Stairway in the mon-
astery of St. Florian

Escalier au monastery
of St-Florian

Brunnen in Schloß ▷
Tollet bei Grieskirchen

Fountain at Castle
Tollet, near Gries-
kirchen

Fontaine au château
de Tollet près de
Grieskirchen

△
Mondsee mit Schafberg

The Mondsee, with a view of the Schafberg

Mondsee avec le Schafberg

Blick vom Almsee auf das Tote Gebir

The Almsee, with a view of the Totes Gebir

Vue du Almsee sur le massiv du Totes Gebir

Der Hintere Gosausee
mit Dachstein

The Hinterer Gosau-
see, with a view of the
Dachstein

La partie arrière du
Gosausee avec le
Dachstein

Schloß Orth auf dem ▷
Traunsee

Orth Castle on the
Traunsee

Château d'Orth au
Traunsee

◁ Hinterer Langbathsee
im Höllengebirge

The Hinterer Lang-
bathsee in the Höllen-
gebirge

Langbathsee, partie
arrière avec le massif
du Höllengebirge

Lauffen an der Traun
südlich von Bad Isch

Lauffen on the Rive
Traun, south o
Bad Isch

Lauffen sur le Trau
au sud de Bad Isch

5

△
Blick vom Schafberg auf St. Wolfgang und den Wolfgangsee

View of St. Wolfgang and the Wolfgangsee from the Schafberg

Vue sur le Schafberg de St-Wolfgang et sur le Wolfgangsee

Kärnten Carinthia Carinthie

◁ Der Lindwurm in Klagenfurt

The Klagenfurt Dragon

Le « Lindwurm » de Klagenfurt

△
Burg Falkenstein

Falkenstein Castle

Château de Falkenstein

◁ Heiligenblut

Der Großglock▸
The Grossglock▸
Le Grossglock▸

◁ Kirchlein in Pogöriach

Small church in Pogöriach

Petite église à Pogöriach

△

Hermagor mit Blick auf die Villacher Alpe

Hermagor, with a view of the Villacher Alpe

Hermagor avec vue sur les Alpes de Villach

△
Der Mittagskogel

The Mittagskogel

Le Mittagskogel

Im Mölltal ▷

In the Mölltal (Möll Valley)

Dans le Mölltal

Schloß Frauenstein

Frauenstein Castle

Château de Frauenstein

Steiermark Styria Styrie

Mur

△

Leopoldsteiner See mit Pfaffenstein

The Leopoldsteiner See, with a view of the Pfaffenstein

Leopoldsteiner See avec Pfaffenstein

Die Mödlinger Hütte im Gesäu

The Mödlinger Hütte in the Gesäu

Le refuge « Mödlinger Hütte » dans le Gesäu

◁ Enns-Fluß im Gesäuse
mit Blick auf den
Reichenstein

The River Enns in the
Gesäuse, looking to-
wards the Reichenstein

Le fleuve Enns dans le
Gesäuse avec vue sur
le Reichenstein

Grundl

◁ In der Ramsau
In the Ramsau
Dans la Ramsau

Kapelle
Semmer

Chapel on
Semmer

Chapelle
Semmer

◁ Im Mürztal

In the Mürztal (Mürz Valley)

Dans le Mürztal

Nieder- österreich   Lower Austria   Basse- Autriche

Burg Heidenreichstein

Heidenreichstein Castle

Château de Heidenreichstein

83

△
Dürnstein an der Donau

Dürnstein on the Danube

Duernstein sur le Danube

◁ Wildwasser bei
Kirchberg an der
Pielach

White water near
Kirchberg on the
Pielach

Un torrent près de
Kirchberg sur le
Pielach

Schloß Schönbühel a
der Dona

Schönbühel Castle o
the Danul

Château de Schoe
buehel sur le Danul

8

△
Barocke Bürgerhäuser in Langenlois

Baroque patrician houses in Langenlois

Maisons bourgeoises baroques à Langenlois

Die berühmte Windmühle bei Ret

The famous windmill near Ret

Le célèbre moulin à vent près de Ret

◁ Stift Melk, Stiftsbibliothek

Melk Monastery, the Library

L'abbaye de Melk, bibliothèque

△
Klosterneuburg

◁ In der Wachau (St. Michael)

In the Wachau (St. Michael)

Dans le Wachau (St-Michael)

△
Waidhofen an der Ybbs

Waidhofen on the Ybbs

Waidhofen sur le Ybbs

Der Prandtauerhof in Joching

The Prandtauerhof, Joching

e « Prandtauerhof » à Joching

△

Der alte Stadtturm von Perchtoldsdorf bei Wien

The old town tower of Perchtoldsdorf near Vienna

La vieille tour à Perchtoldsdorf près de Vienne

3

Burgruine Greifenstein an der Donau

The ruin of Greifenstein Castle on the Danube

Ruine de Greifenstein sur le Danube

Wien Vienna Vienne

Blick vom Fuß der Freitreppe des Schlosses Schönbrunn auf die Gloriette

View from the foot of the ceremonial staircase, Schönbrunn Palace, towards the Gloriette

Vue du pied de l'escalier du château de Schoenbrunn sur la Gloriette

△
Gartenparterre des Schlosses Belvedere

Lower gardens at the Belvedere Palace

Pavillon du Château du Belvedère

Portal zum Oberen
Belvedere

The gateway to the
Upper Belvedere

Portail au Belvédère
Supérieur

Das Rathaus ▷

The City Hall

L'Hôtel de Ville

9

Stephansdom un
Peterskirch

St. Stephen
Cathedral an
St. Peter's Churc

La Cathédrale
St-Etienne et St-Pier

Das
Hundertwasserhaus

The
Hundertwasser house

La
Maison Hundertwasser

Das Parlament ▷

Parliament

Le Parlement

△
Hof von Beethovens Domizil in der Probusgasse

Courtyard of Beethoven's house in the Probusgasse

Cour de la maison de Beethoven dans la Probusgasse

Burgenland

◁ Schloß Esterházy in
  Eisenstadt

Castle of the
Esterházy Princes
(Schloss Esterházy),
Eisenstadt

Château d'Esterház
Eisenstadt

Burg Forchtenstei

Forchtenstein Cast

Château d
Forchtenstei

10

Dorfgasse in Mörbisch

Village street in
Mörbisch

Rue du village de
Moerbisch

Güssing ▷

◁ Der Neusiedler See

The Lake Neusiedl

Le Lac de Neusiedl

△
Haus mit Schilfdach am Neusiedler See

Reed-thatched house near the Lake Neusiedl

Maison couverte de roseaux au lac de Neusiedl

Bildnachweis

Toni Schneiders, Lindau-Schachen, Seiten 16, 19, 20, 22, 29, 32, 35, 42, 67, 74, 98, 101, 103
Albert Herndl, Salzburg, Seiten 17, 30, 38, 40, 41, 50, 65, 76, 84, 92, 108
Heinz Müller-Brunke, Grassau/Chiemgau (OBB), Seiten 18, 21, 23, 24, 27, 33, 36, 44, 46, 48, 52, 59, 64, 69, 72, 83, 90, 107, 109, 110
Central Color, Garmisch-Partenkirchen, Seiten 28, 31, 34, 39, 45
Wolfsberger, Wien, Seiten 58, 75, 77, 94, 99
Verlag R.König, Braunau am Inn, Seiten 43, 53, 55, 86, 88, 91, 93, 106
Friedrich Muhr, Seewalchen, Umschlagbild, Seiten 47, 57
Helmut Partaj, Wien, Seiten 51, 62, 78, 79, 82, 85, 87, 96, 97, 104, 111
Kellner Foto-Karten, Verlagsgesellschaft, Wien, Seiten 54, 60
Walter Richter, Wien, Seiten 56, 63, 66, 68, 70, 73
Gral, Wien, Seite 80
   Österreich Werbung, Seite 26 (ÖW/Wiesenhofer), Seite 89 (ÖW/Herzberger),
Seite 100, 102 (ÖW/Bohnacker)